Johann Wolfgang Goethe

Ausgewählte Kostbarkeiten

Zusammengestellt von
Gottfried Berron

SKV-Edition · Lahr (Schwarzwald)

Reihe
Ausgewählte Kostbarkeiten
Nr. 92408

CIP-Kurztitelaufnahme der Deutschen Biblio-
thek:

Goethe, Johann Wolfgang von:
Ausgewählte Kostbarkeiten / Johann Wolfgang
Goethe. – Lahr (Schwarzwald): SKV-Edition,
1981.
(Reihe ausgewählte Kostbarkeiten; Nr. 92408)
ISBN 3-87729-012-4
NE: Goethe, Johann Wolfgang von [Sammlung];
GT

ISBN 3 87729 012 4
2. Auflage · 11.–30. Tausend
Umschlagentwurf: Archiv
Innenillustrationen: Lisa Hässler, Edith Prutz
Gesamtherstellung:
St.-Johannis-Druckerei C. Schweickhardt
7630 Lahr-Dinglingen
Printed in Germany · 344/1981

Inhalt

Vorwort des Herausgebers

Bei dem Versuch, aus dem unermeßlichen Schaffen von Johann Wolfgang Goethe (geboren 28. August 1749 in Frankfurt am Main, gestorben 22. März 1832 in Weimar) für unsere kleine Reihe »Kostbarkeiten« auszuwählen, dachte ich nicht an eine Art Goethe-Brevier, zumal ja vor allem seine Gedichte leicht zugänglich sind. Erst recht konnte es nicht darum gehen, »geflügelte Worte« des Dichters zusammenzustellen. Vielmehr bemühte ich mich, Worte zu finden, aus denen Wesen und Wollen des zu Reife und Weisheit gelangten Dichters aufleuchtet und die Tiefe und Weite seines Geistes ahnungsweise erkennbar wird. Nicht zufällig steht das Kapitel »Ehrfurcht« in der Mitte. Ihr schrieb Goethe heilende Kräfte zu, und sie ist es hauptsächlich, die ihn beispielsweise mit dem österreichischen Dichter Adalbert Stifter verbindet, dem auch ein Büchlein unserer Reihe gewidmet ist. Ja, man darf sagen: Wer Ehrfurcht hat, gehört zur geistigen Verwandtschaft Goethes, auch wenn er sein Werk nur ungenügend kennt.

Der Mensch

Dem einzelnen bleibe die Freiheit, sich mit dem zu beschäftigen, was ihn anzieht, was ihm Freude macht, was ihm nützlich deucht; aber das eigentliche Studium der Menschheit ist der Mensch.

Ein Lehrer, der das Gefühl an einer einzigen guten Tat, an einem einzigen guten Gedicht erwecken kann, leistet mehr als einer, der uns ganze Reihen untergeordneter Naturbildungen der Gestalt und dem Namen nach überliefert; denn das ganze Resultat davon ist, was wir ohnedies wissen können, daß das Menschenbild am vorzüglichsten und einzigsten das Gleichnis der Gottheit an sich trägt.

Wir leiden alle am Leben; wer will uns, außer Gott, zur Rechenschaft ziehen? Tadeln darf man keinen Abgeschiedenen; nicht was sie gefehlt und gelitten, sondern was sie geleistet und getan, beschäftige die Hinterbliebenen. An den Fehlern erkennt man den Menschen, an den Vorzügen den einzelnen; Mängel und Schicksale haben wir alle gemein, die Tugenden gehören jedem besonders.

Der Eigenname eines Menschen ist nicht etwa wie ein Mantel, der bloß um ihn her hängt und an dem man allenfalls noch zupfen und zerren kann, sondern ein vollkommen passendes Kleid, ja wie die Haut selbst ihm über und über angewachsen, an der man nicht schaben und schinden darf, ohne ihn selbst zu verletzen.

Niemals werd ich in Gefahr kommen, auf mein eigenes Können und Vermögen stolz zu werden, da ich so deutlich erkannt habe, welch Ungeheuer in jedem menschlichen Busen, wenn eine höhere Kraft uns nicht bewahrt, sich erzeugen und ernähren könne.

Niemand ist mehr Sklave, als der sich für frei hält, ohne es zu sein.

Die Eigenliebe läßt uns sowohl unsere Tugenden als unsere Fehler viel bedeutender, als sie sind, erscheinen.

Wir haben angeborene und anerzogene Schwächen, und es möchte noch die Frage sein, welche von beiden uns am meisten zu schaffen geben.

Man läßt sich seine Mängel vorhalten, man läßt sich strafen, man leidet manches um ihrer willen mit Geduld; aber ungeduldig wird man, wenn man sie ablegen soll.

Gewisse Mängel sind notwendig zum Dasein des einzelnen. Es würde uns unangenehm sein, wenn alle Freunde gewisse Eigenheiten ablegten.

Große Leidenschaften sind Krankheiten ohne Hoffnung. Was sie heilen könnte, machte sie erst recht gefährlich.

Von Natur besitzen wir keinen Fehler, der nicht zur Tugend, keine Tugend, die nicht zum Fehler werden könnte.

Durch nichts bezeichnen die Menschen mehr ihren Charakter als durch das, was sie lächerlich finden.

In der Gewohnheit ruht das einzige Behagen des Menschen; selbst das Unangenehme, woran wir uns gewöhnten, vermissen wir ungern.

Glücklicherweise kann der Mensch nur einen gewissen Grad des Unglücks fassen; was darüber hinausgeht, vernichtet ihn oder läßt ihn gleichgültig. Es gibt Lagen, in denen Furcht und Hoffnung eins werden, sich einander wechselseitig aufheben und in eine dunkle Fühllosigkeit verlieren. Wie könnten wir sonst die entfernten Geliebtesten in stündlicher Gefahr wissen und dennoch unser tägliches gewöhnliches Leben immer so forttreiben!

Jugend und Alter

Glückliche Jugend! Glückliche Zeiten des ersten Liebebedürfnisses! Der Mensch ist dann wie ein Kind, das sich am Echo stundenlang ergötzt, die Unkosten des Gespräches allein trägt und mit der Unterhaltung wohl zufrieden ist, wenn der unsichtbare Gegenpart auch nur die letzten Silben der ausgerufenen Worte wiederholt.

Wohl dem, der seiner Väter gern gedenkt!

Wer sich's zur Ehre hält, von vernünftigen Vorfahren abzustammen, wird ihnen doch wenigstens ebensoviel Menschensinn zugestehen als sich selbst.

Es ist der Fehler derjenigen, die manches, ja viel vermögen, daß sie sich alles zutrauen, und die Jugend muß sogar in diesem Falle sein, damit nur etwas aus ihr werde.

Altes Fundament ehrt man, darf aber das Recht nicht aufgeben, irgendwo wieder einmal von vorn zu gründen.

So lösen sich in gewissen Epochen Kinder von Eltern, Diener von Herren, Begünstigte von Gönnern los, und ein solcher Versuch, sich auf seine Füße zu stellen, sich unabhängig zu machen, für sein eigen Selbst zu leben, er gelinge oder nicht, ist immer dem Willen der Natur gemäß.

Denn wir können die Kinder nach unserm Sinne nicht formen; so wie Gott sie uns gab, so muß man sie haben und lieben, sie erziehen aufs beste und jeglichen lassen gewähren. Denn der eine hat die, die anderen andere Gaben; jeder braucht sie, und jeder ist doch nur auf eigene Weise gut und glücklich ...

Der Letztgeborene wird immer noch Ursache finden, sich nach demjenigen umzusehen, was vor ihm genossen und gelitten worden, um sich einigermaßen in das zu schicken, was auch ihm bereitet wird.

Wenn ältere Personen recht pädagogisch verfahren wollten, so sollten sie einem jungen Manne etwas, das ihm Freude macht, es sei von welcher Art es wolle, weder verbieten noch verleiden, wenn sie nicht zu gleicher Zeit ihm etwas anderes dafür einzusetzen hätten oder unterzuschieben wüßten.

Wenn dem früheren Alter Tun und Wirken gebührt, so ziemt dem späteren Betrachtung und Mitteilung.

Man sagt vom Alter, es sei geschwätzig, aber ich dächte doch, es dürfte gesprächig sein; man hat viel zu sagen und sagt's auch wohl kühnlich, was man früher weislich dahingehen ließ.

Man darf nur alt werden, um milder zu sein; ich sehe keinen Fehler begehen, den ich nicht auch begangen hätte.

Nach unserm Rat bleibe jeder auf dem eingeschlagenen Wege und lasse sich ja nicht durch Autorität imponieren, durch allgemeine Übereinstimmung bedrängen und durch Mode hinreißen.

Es ziemt sich dem Bejahrten, weder in der Denkweise noch in der Art, sich zu kleiden, der Mode nachzugeben.

Das hohe Alter beruhigt sich in dem, der da ist, der da war und der da sein wird.

Das Erlebte weiß jeder zu schätzen, am meisten der Denkende und Nachsinnende im Alter; er fühlt mit Zuversicht und Behaglichkeit, daß ihm das niemand rauben kann.

Ich sehe wohl ein, daß man ein ganzes Leben studieren kann und am Ende doch noch ausrufen möchte: Jetzt seh ich, jetzt genieß ich erst.

Miteinander

Was der Mensch auch ergreife und handhabe, der einzelne ist sich nicht hinreichend. Alle brauchbaren Menschen sollen in Bezug untereinander stehen.

Wir können nicht genug anerkennen, wie nötig Mitteilung, Beihilfe, Erinnerung und Widerspruch sei, um uns auf dem rechten Weg zu erhalten und vorwärts zu bringen.

Der Mensch kennt nur sich selbst, insofern er die Welt kennt, die er nur in sich und sich nur in ihr gewahr wird. Jeder

Ein gemeinsamer Genuß hat so große Reize, und doch wird er so oft durch die Verschiedenheit der Teilnehmer gestört.

Die Menschen werden durch Gesinnungen vereinigt, durch Meinungen getrennt.

Im Praktischen ist doch kein Mensch tolerant, denn wer auch versichert, daß er jedem seine Art und Wesen gerne lassen wolle, sucht doch immer diejenigen von der Tätigkeit auszuschließen, die nicht so denken wie er.

Wenn wir immer vorsichtig genug wären und uns mit Freunden nur von *einer* Seite verbänden, von der sie wirklich mit uns harmonieren, und ihr übriges Wesen weiter nicht in Anspruch nähmen, so würden die Freundschaften weit dauerhafter und ununterbrochener sein. Gewöhnlich aber ist es ein Jugendfehler, den wir selbst im Alter nicht ablegen, daß wir verlangen, der Freund solle gleichsam ein anderes Ich sein.

Es gibt Menschen, die auf die Mängel ihrer Freunde sinnen; dabei ist nichts zu gewinnen. Ich habe immer auf die Verdienste meiner Widersacher achtgehabt und davon Vorteil gezogen.

Man soll von eigenen und fremden Fehlern niemals, am wenigsten öffentlich, reden, wenn man nicht dadurch etwas Nützliches zu bewirken denkt.

Eine innere Geselligkeit mit Neigung wird durch eine größere Gesellschaft immer nur unangenehm unterbrochen.

Niemand würde viel in Gesellschaften sprechen, wenn er sich bewußt wäre, wie oft er die andern mißversteht.

Man mag noch so eingezogen leben, so wird man, ehe man sich's versieht, ein Schuldner oder ein Gläubiger.

Wir lernen die Menschen nicht kennen, wenn sie zu uns kommen; wir müssen zu ihnen gehen, um zu erfahren, wie es mit ihnen steht.

Begegnet uns jemand, der uns Dank schuldig ist, gleich fällt es uns ein. Wie oft können wir jemand begegnen, dem wir Dank schuldig sind, ohne daran zu denken!

Der Undank ist immer eine Art Schwäche. Ich habe nie gesehen, daß tüchtige Menschen wären undankbar gewesen.

Die Mitlebenden werden an vorzüglichen Menschen gar leicht irre; das Besondere der Person stört sie, das laufende bewegliche Leben verrückt ihre Standpunkte, hindert das Kennen und Anerkennen eines solchen Mannes.

In einem jeden neuen Kreise muß man zuerst wieder als Kind anfangen, leidenschaftliches Interesse auf die Sache werfen, sich erst an der Schale freuen, bis man zu dem Kerne zu gelangen das Glück hat.

Welchen Weg mußte nicht die Menschheit machen, bis sie dahin gelangte, auch gegen Schuldige gelind, gegen Verbrecher schonend, gegen Unmenschliche menschlich zu sein!

Liebe

Die ersten Liebesneigungen einer unverdorbenen Jugend nehmen durchaus eine geistige Wendung. Die Natur scheint zu wollen, daß ein Geschlecht in dem andern das Gute und Schöne sinnlich gewahr werde.

Die Liebe herrscht nicht, aber sie bildet; und das ist mehr.

Die Tat allein beweist der Liebe Kraft.

Die reinste Freude, die man an einer geliebten Person finden kann, ist die, zu sehen, daß sie andere erfreut.

Die Güte des Herzens nimmt einen weiteren Raum ein als der Gerechtigkeit geräumiges Feld.

Sage nicht, daß du geben willst, sondern gib!

Es gibt eine Höflichkeit des Herzens; sie ist der Liebe verwandt.

Der Haß ist parteiisch, aber die Liebe ist es noch mehr.

Es ist keine Neigung, keine Gewohnheit so stark, daß sie gegen die Mißreden vorzüglicher Menschen, in die man Vertrauen setzt, auf die Länge sich erhalten könnte. Immer bleibt etwas hängen, und wenn man nicht unbedingt lieben darf, sieht es mit der Liebe schon mißlich aus.

Gegen große Vorzüge eines andern gibt es kein Rettungsmittel als die Liebe.

Wahrhaft Liebende betrachten alles, was sie bisher empfunden, nur als Vorbereitung zu ihrem gegenwärtigen Glück.

Die Ehe ist der Anfang und der Gipfel aller Kultur. Sie macht den Rohen wild, und der Gebildetste hat keine bessere Gelegenheit, seine Milde zu beweisen. Unauflöslich muß sie sein, denn sie bringt so vieles Glück, daß alles einzelne Unglück dagegen gar nicht zu rechnen ist. Und was will man von Unglück reden? Ungeduld ist es, die den Menschen von Zeit zu Zeit anfällt, und dann beliebt er sich unglücklich zu finden. Lasse man den Augenblick vorübergehen, und man wird sich glücklich preisen, daß ein so lange Bestandenes noch besteht. Sich zu trennen, gibt's gar keinen hinlänglichen Grund.

Gott und Natur

»Ich glaube einen Gott!« Dies ist ein schönes löbliches Wort; aber Gott anerkennen, wo und wie er sich offenbare, das ist eigentlich die Seligkeit auf Erden.

Wir können bei Betrachtung des Weltgebäudes in seiner weitesten Ausdehnung uns der Vorstellung nicht erwehren, daß dem ganzen eine Idee zum Grund liege, wonach Gott in der Natur, die Natur in Gott, von Ewigkeit zu Ewigkeit, schaffen und wirken möge. Anschauung, Betrachtung, Nachdenken führen uns näher an jene Geheimnisse.

Wer die Natur als göttliches Organ leugnen will, der leugne nur gleich alle Offenbarung.

Alles Lebendige bildet eine Atmosphäre um sich her.

Sollten wir im Blitz, Donner und Sturm nicht die Nähe einer übergewaltigen Macht, in Blütenduft und lauem Luftsäuseln nicht ein liebevoll sich annäherndes Wesen empfinden dürfen?

Die Gebirge sind stumme Meister und machen schweigsame Schüler.

Die Vorsehung hat tausend Mittel, die Gefallenen zu erheben und die Niedergebeugten aufzurichten. Manchmal sieht unser Schicksal aus wie ein Fruchtbaum im Winter: Wer sollte bei dem traurigen Ansehen desselben wohl denken, daß diese starren Äste, diese zackigen Zweige im nächsten Frühjahr wieder grünen, blühen, sodann Früchte tragen könnten! Doch wir hoffen's, wir wissen's.

Warum hofft der Mensch nur in die Nähe? Da muß er handeln und sich helfen; in die Ferne soll er hoffen und Gott vertrauen.

Das israelitische Volk ist das beharrlichste Volk der Erde; es ist, es war, es wird sein, um den Namen Jehova durch alle Zeiten zu verherrlichen.

Ehrfurcht

Wohlgeborene, gesunde Kinder bringen viel mit; die Natur hat jedem alles gegeben, was er für Zeit und Dauer nötig hätte; dieses zu entwickeln ist unsere Pflicht, öfters entwickelt sich's besser von selbst. Aber eins bringt niemand mit auf die Welt, und doch ist es das, worauf alles ankommt, damit der Mensch nach allen Seiten zu ein Mensch sei: Ehrfurcht!

Der Natur ist Furcht wohl gemäß, Ehrfurcht aber nicht.

Fahrt fort in unmittelbarer Beachtung der Pflicht des Tages und prüft dabei die Reinheit eures Herzens und die Sicherheit eures Geistes! Wenn ihr sodann in freier Stunde aufatmet und euch zu erheben Raum findet, so gewinnt ihr euch gewiß eine richtige Stellung gegen das Erhabene, dem wir uns auf jede Weise verehrend hinzugeben, jedes Ereignis mit Ehrfurcht zu betrachten und eine höhere Leitung darin zu erkennen haben.

Bei der Ehrfurcht, die der Mensch in sich walten läßt, kann er, indem er Ehre gibt, seine Ehre behalten.

Zutraulichkeit an der Stelle der Ehrfurcht ist immer lächerlich.

Es gibt kein äußeres Zeichen der Höflichkeit, das nicht einen tiefen sittlichen Grund hätte. Die rechte Erziehung wäre, welche dieses Zeichen und den Grund zugleich überlieferte.

Gewissen Geheimnissen, und wenn sie offenbar wären, muß man durch Verhüllen und Schweigen Achtung erweisen; denn dieses wirkt auf Scham und gute Sitten. Warum sollten wir das, was in körperlichen Dingen so nötig ist, nicht auch geistig anwenden?

Das schönste Glück des denkenden Menschen ist, das Erforschliche erforscht zu haben und das Unerforschliche ruhig zu verehren.

Wissen und Wahrheit

Je weiter sich das Wissen ausbreitet, desto mehr Probleme kommen zum Vorschein.

Hypothesen sind Gerüste, die man vor dem Gebäude aufführt und die man abträgt, wenn das Gebäude fertig ist. Sie sind dem Arbeiter unentbehrlich, nur muß er das Gerüste nicht für das Gebäude ansehn.

Das Wahre fördert; aus dem Irrtum entwickelt sich nichts, er verwickelt uns nur.

Verharren wir aber in dem Bestreben, das Falsche, Ungehörige, Unzulängliche, was sich in uns und andern entwikkeln oder einschleichen könnte, durch Klarheit und Redlichkeit auf das möglichste zu beseitigen!

Beim Zerstören gelten alle falschen Argumente, beim Aufbauen keineswegs. Was nicht wahr ist, baut nicht.

Durchaus bleibt ein Hauptkennzeichen, woran das Wahre vom Blendwerk am sichersten zu unterscheiden ist: jenes wirkt immer fruchtbar und begünstigt den, der es besitzt und hegt; dahingegen das Falsche an und für sich tot und fruchtlos daliegt.

Wahrheitsliebe zeigt sich darin, daß man überall das Gute zu finden und zu schätzen weiß.

Der törigste von allen Irrtümern ist, wenn junge gute Köpfe glauben, ihre Originalität zu verlieren, indem sie das Wahre anerkennen, was von andern schon anerkannt worden.

Alles Gescheite ist schon gedacht worden, man muß nur versuchen, es noch einmal zu denken.

Was man nicht versteht, besitzt man nicht.

Gegner glauben uns zu widerlegen, wenn sie ihre Meinung wiederholen und auf die unsrige nicht achten.

Wer gegen sich selbst und andere wahr ist und bleibt, besitzt die schönste Eigenschaft der größten Talente.

Wohl in irdischen Verhältnissen gewöhnen wir uns zuletzt, auf uns selber zu stehen, und auch da wollen nicht immer Kenntnisse, Verstand und Charakter hinreichen; in himmlischen Dingen dagegen lernen wir nie aus.

Denken und Tun

Denken und Tun, Tun und Denken, das ist die Summe aller Weisheit. Beides muß wie Aus- und Einatmen sich im Leben ewig fort hin und wider bewegen; wie Frage und Antwort sollte eins ohne das andere nicht stattfinden. Wer sich zum Gesetz macht, das Tun am Denken, das Denken am Tun zu prüfen, der kann nicht irren; und irrt er, so wird er sich bald auf den rechten Weg zurückfinden.

Das Sicherste bleibt immer, nur das Nächste zu tun, was vor uns liegt.

Wie kann man sich selbst kennenlernen? Durch Betrachten niemals, wohl aber durch Handeln. Versuche, deine Pflicht zu tun, und du weißt gleich, was an dir ist. Was aber ist deine Pflicht? Die Forderung des Tages.

Pflicht: wo man liebt, was man sich selbst befiehlt.

Erfüllte Pflicht empfindet sich immer noch als Schuld, weil man sich nie ganz genug getan.

Wer freudig tut und sich des Getanen freut, ist glücklich.

Wie viele Jahre muß man nicht tun, um nur einigermaßen zu wissen, was und wie es zu tun sei.

Es ist nicht genug zu wissen, man muß auch anwenden; es ist nicht genug zu wollen, man muß auch tun.

Wenn mir eine Sache mißfällt, so laß ich sie liegen oder mache sie besser.

Die Menschen treffen viel mehr zusammen in dem, was sie tun, als in dem, was sie denken.

Es gibt keine Lage, die man nicht veredeln könnte durch Leisten oder Dulden.

Unbedingte Tätigkeit, von welcher Art sie sei, macht zuletzt bankerott.

Mir wird, ich gestehe es gern, jeder Zeitverlust immer bedenklicher. Ich nutze meine Tage, so gut ich kann, und setze wenigstens immer einige Steine im Brette vorwärts.

Es weiß sich kein Mensch weder in sich selbst noch in andere zu finden und muß sich eben sein Spinnengewebe selbst machen, aus dessen Mitte er wirkt.

Leben und wirken heißt ebensoviel als Partei machen und ergreifen.

Alles Gute, was geschieht, wirkt nicht einzeln. Seiner Natur nach setzt es sogleich das Nächste in Bewegung.

Wille, Freiheit, Gewissen

Niemand bedenkt leicht, daß uns Vernunft und ein tapferes Wollen gegeben sind, damit wir uns nicht allein vom Bösen, sondern auch vom Übermaß des Guten zurückhalten.

Der Wunsch, Gutes zu tun, ist ein kühner, stolzer Wunsch; man muß schon sehr dankbar sein, wenn einem ein kleiner Teil davon gewährt wird.

Die Höhe reizt uns, nicht die Stufen; den Gipfel im Auge, wandeln wir gern auf der Ebene.

Alles, was unsern Geist befreit, ohne uns die Herrschaft über uns selbst zu geben, ist verderblich.

Das Wort Freiheit klingt so schön, daß man es nicht entbehren könnte, und wenn es einen Irrtum bezeichnete.

Gewissen ist's vom Höchsten bis ins Geringste. Gewissen ist's, wer das kleinste Gedicht gut und vortrefflich macht.

Schöneres ist nichts in der Welt als Neigung, durch Vernunft und Gewissen geleitet.

Keine Neigung ist an sich gut, sondern nur insofern sie etwas Gutes wirkt.

Nur diejenige Erzählung verdient moralisch genannt zu werden, die uns zeigt, daß der Mensch in sich eine Kraft habe, aus Überzeugung eines Bessern selbst gegen seine Neigung zu handeln.

Wie oft werden wir von einem scharf ins Auge gefaßten Ziele abgelenkt, um ein höheres zu erreichen!

Die Höhe reizt uns, nicht die Stufen; den Gipfel im Auge, wandeln wir gern auf der Ebene.

Alles, was unsern Geist befreit, ohne uns die Herrschaft über uns selbst zu geben, ist verderblich.

Sprache, Bücher, Kunst

Jede Provinz liebt ihren Dialekt; denn er ist doch eigentlich das Element, in welchem die Seele ihren Atem schöpft.

Die Gewalt einer Sprache ist nicht, daß sie das Fremde abweist, sondern daß sie es verschlingt.

Alles, was der Mensch natürlich frei ausspricht, sind Lebensbezüge. Hier sieht man, daß die Sprache schon an und für sich produktiv ist.

Es ist eine falsche Nachgiebigkeit gegen die Menge, wenn man ihnen die Empfindungen erregt, die sie haben *wollen*, und nicht, die sie haben *sollen*.

Tief und ernstlich denkende Menschen haben gegen das Publikum einen bösen Stand.

Die größte Achtung, die ein Autor für sein Publikum haben kann, ist, daß er niemals bringt, was man erwartet, sondern was er selbst auf der jedesmaligen Stufe eigener und fremder Bildung für recht und nützlich hält.

Gewisse Bücher scheinen geschrieben zu sein, nicht damit man daraus lerne, sondern damit man wisse, daß der Verfasser etwas gewußt hat.

Eigentlich lernen wir nur von Büchern, die wir nicht beurteilen können. Der Autor eines Buchs, das wir beurteilen können, müßte von uns lernen.

Wenn der Künstler nicht zugleich Handwerker ist, so ist er nichts.

Die Poesie verlangt, ja sie gebietet Sammlung, sie isoliert den Menschen wider seinen Willen.

Alles Lyrische muß im Ganzen sehr vernünftig, im einzelnen ein bißchen unvernünftig sein.

Alles Vollkommene in seiner Art muß über seine Art hinausgehen, es muß etwas anderes, Unvergleichbares werden. In manchen Tönen ist die Nachtigall noch Vogel, dann steigt sie über ihre Klasse hinüber und scheint jedem Gefiederten andeuten zu wollen, was eigentlich singen heiße.

Künstler, die zu schnell und ohne Vorbereitung in das Höhere der Kunst gerückt werden, gleichen den Menschen, die vom Glücke zu schnell erhoben werden: sie wissen sich in ihren Zustand nicht zu finden, können von dem, was ihnen zugeeignet wird, selten mehr als einen oberflächlichen Gebrauch machen.

Jeder echte Künstler ist als einer anzusehen, der ein anerkanntes Heilige bewahren und mit Ernst und Bedacht fortpflanzen will.

Das Heilige ist der Würde der Musik gemäß, hier hat sie die größte Wirkung aufs Leben.

Die Heiligkeit der Kirchenmusiken, das Heitere und Neckische der Volksmelodien sind die beiden Angeln, um die sich die wahre Musik herumdreht.

Das Erste und Letzte, was vom Genie gefordert wird, ist Wahrheitsliebe.

Ich glaube, daß alles, was das Genie als Genie tut, unbewußt geschehe. Der Mensch von Genie kann auch verständig handeln nach gepflogener Überlegung aus Überzeugung; das geschieht aber alles nur so nebenher. Kein Werk des Genies kann durch Reflexion und ihre nächsten Folgen verbessert, von seinen Fehlern befreit werden; aber das Genie kann sich durch Reflexion und Tat nach und nach dergestalt hinaufheben, daß es endlich musterhafte Werke hervorbringt.

Zeit und Welt

Sein Jahrhundert kann man nicht verändern, aber man kann sich dagegen stellen und glückliche Wirkungen vorbereiten.

Die größten Menschen hängen immer mit ihrem Jahrhundert durch eine Schwachheit zusammen.

Was ist das für eine Zeit, wo man die Begrabenen beneiden muß?

Für das größte Unheil unserer Zeit, die nichts reif werden läßt, muß ich halten, daß man im nächsten Augenblick den vorhergehenden verspeist, den Tag im Tage vertut und so immer aus der Hand in den Mund lebt, ohne irgend etwas vor sich zu bringen. Haben wir doch schon Blätter für sämtliche Tageszeiten! Dadurch wird alles, was ein jeder tut, treibt, dichtet, ja was er vorhat, ins Öffentliche geschleppt.

Wenn man einige Monate die Zeitungen nicht gelesen hat und man liest sie alsdann zusammen, so zeigt sich erst, wieviel Zeit man mit diesen Papieren verdirbt.

Ein heiterer Tag ist wie ein grauer, wenn wir ihn ungerührt ansehen.

Gedankenlosigkeit, die uns den Wert des Augenblicks vergessen läßt.

Alles, was uns begegnet, läßt Spuren zurück.

Was wissen wir denn, und wie weit reichen wir denn mit all unserm Witze! Der Mensch ist nicht geboren, die Probleme der Welt zu lösen, wohl aber zu suchen, wo das Problem angeht, und sich sodann in der Grenze des Begreiflichen zu halten. Die Handlungen des Universums zu messen, reichen seine Fähigkeiten nicht hin, und in das Weltall Vernunft bringen zu wollen, ist bei seinem kleinen Standpunkt ein sehr vergebliches Bestreben. Die Vernunft des Menschen und die Vernunft der Gottheit sind zwei sehr verschiedene Dinge.

Alles setzt sich in der Welt nach einem Erdbeben, Brand und Überschwemmung so geschwind als möglich in seine alte Lage.

Es ist besser, es geschehe dir Unrecht, als die Welt sei ohne Gesetz. Deshalb füge sich jeder dem Gesetze.

Welche Regierung die beste sei? Diejenige, die uns lehrt, uns selbst zu regieren.

Es gibt keine patriotische Kunst und keine patriotische Wissenschaft. Beide gehören wie alles hohe Gute der ganzen Welt an.

Diese Zeitschriften werden zu einer gehofften allgemeinen Weltliteratur auf das wirksamste beitragen; nur wiederholen wir, daß nicht die Rede sein könne, die Nationen sollen überein denken, sondern sie sollen nur einander gewahr werden, sich begreifen und, wenn sie sich wechselseitig nicht lieben mögen, sich einander wenigstens dulden lernen.

Eine wahrhaft allgemeine Duldung wird am sichersten erreicht, wenn man das Besondere der einzelnen Menschen und Völkerschaften auf sich beruhen läßt, bei der Überzeugung jedoch festhält, daß das wahrhaft Verdienstliche sich dadurch auszeichnet, daß es der ganzen Menschheit angehört.